A PRETENSÃO
DO CONHECIMENTO

Impresso no Brasil, 2019

Título original: *The Pretence of Knowledge*
Copyright © 2015 by *MISES: Revista Interdisciplinar de Filosofia, Direito e Economia*

Os direitos desta edição pertencem ao
Instituto Ludwig von Mises Brasil
Rua Leopoldo Couto de Magalhães Júnior, 1098, Cj. 46
04.542-001. São Paulo, SP, Brasil
Telefax: 55 (11) 3704-3782
contato@mises.org.br · www.mises.org.br

Editor Responsável | Alex Catharino
Tradução | Leandro Augusto Gomes Roque
Revisão da tradução | Márcia Xavier de Brito
Preparação dos originais | Alex Catharino
Revisão ortográfica e gramatical | Ubiratan Jorge Iorio
Revisão final | Márcio Scansani / Armada
Produção editorial | Alex Catharino
Capa | Mariangela Ghizellini / LVM
Projeto gráfico | Luiza Aché / BR75
Diagramação e editoração | Orlando Abreu / BR75
Elaboração do índice remissivo | Márcio Scansani / Armada
Pré-impressão e impressão | PlenaPrint Gráfica

Dados Internacionais de Catalogação na Publicação (CIP)
Angélica Ilacqua CRB-8/7057

H331p	Hayek, F. A. (Friedrich August von), 1899-1992 A pretensão do conhecimento / F. A. Hayek ; prefácio de Murray N. Rothbard, edição de Alex Catharino, tradução de Leandro Augusto Gomes Roque. – São Paulo, SP : LVM Editora, 2019. 56 p. ISBN: 978-85-93751-86-8 Título original: *The Pretence of Knowledge* 1. Ciências Sociais 2. Economia 3. Livre-comércio 4.Conhecimento 5. Liberalismo I. Título II. Rothbard, Murray N. III. Alex Catharino IV. Roque, Leandro Augusto Gomes
19-1428	CDD 300

Índices para catálogo sistemático:
1. Ciências sociais   300

Reservados todos os direitos desta obra. Proibida toda e qualquer reprodução integral desta edição por qualquer meio ou forma, seja eletrônica ou mecânica, fotocópia, gravação ou qualquer outro meio de reprodução sem permissão expressa do editor. A reprodução parcial é permitida, desde que citada a fonte.

Sumário

7   Nota à edição brasileira
    Alex Catharino

9   Prefácio
    Hayek e o Prêmio Nobel
    Murray N. Rothbard

23 Ensaio 1
    Discurso no Banquete de Gala

27 Ensaio 2
    A Pretensão do Conhecimento

51 Índice remissivo e onomástico

Nota à edição brasileira

O presente volume reúne a versão escrita das duas falas de Friedrich August von Hayek (1899-1992), na ocasião da entrega do Prêmio Nobel de Economia em 1974. A primeira foi ministrada no Banquete de Gala, em 10 de dezembro de 1974. A segunda é o discurso do economista na cerimônia em que recebeu o prêmio, em 11 de dezembro de 1974.

Em língua portuguesa os dois textos foram lançados originalmente em 2014 na seção especial em homenagem aos 40 anos do Prêmio Nobel de F. A. Hayek, publicada na Edição 4 do periódico acadêmico *MISES: Revista Interdisciplinar de Filosofia, Direito e Economia* (Número 2, Volume II, julho-dezembro de 2014), editada pelo Instituto Ludwig von Mises Brasil (IMB).

O ensaio de Murray N. Rothbard (1926-1995) publicado como prefácio deste volume foi lançado originalmente em português na mesma edição do periódico acadêmico.

Em nome da equipe da LVM expressamos aqui a nossa imensa gratidão ao professor Dr. Ubiratan Jorge Iorio, diretor acadêmico do IMB, e ao professor Dr. Adriano Paranaíba, editor da *MISES*, que gentilmente autorizaram a reimpressão dos três ensaios no presente volume.

Alex Catharino
Editor Responsável da LVM Editora

Prefácio
Hayek e o Prêmio Nobel[*]

Murray N. Rothbard

A concessão, em 1974, do Prêmio Nobel em Ciências Econômicas ao grande economista austríaco do livre mercado Friedrich August von Hayek (1889-1992) surge como uma agradável surpresa para seus admiradores nos Estados Unidos e em todo o mundo. Isso porque, desde a morte de seu distinto mestre, Ludwig von Mises (1881-1973), Hayek foi, aos 75 anos de idade, considerado o mais eminente economista liberal e um dos mais importantes defensores de uma sociedade livre.

---

[*] O presente artigo foi publicado originalmente como: ROTHBARD, Murray N. "The Nobel Prize". *The Libertarian Forum*, Vol. 6, N° 10 (October 1974).
Traduzido do original em inglês para o português por Gabriel Moreira Beraldi.

O Prêmio Nobel veio como uma surpresa por dois motivos. Não apenas porque todos os Prêmios Nobel anteriores em economia tenham ido para progressistas à esquerda e opositores do livre mercado, mas, também, porque eles foram uniformemente concedidos para economistas que têm transformado a disciplina em uma suposta "ciência" preenchida por um jargão matemático e "modelos" irrealistas que são então utilizados para criticar o sistema de livre empreendedorismo e tentar planejar a economia através de um governo central.

F. A. Hayek não é apenas o maior economista do livre mercado; ele também tem liderado ataques aos modelos matemáticos e às pretensões de planejamento dos supostos "cientistas", além de integrar a economia a uma filosofia social libertária mais ampla. Ambos os conceitos têm sido, até o momento, um anátema para a organização do Nobel.

Todos nós podemos especular sobre as motivações que levaram o comitê do Nobel prestar esse bem-vindo, embora atrasado, tributo a F. A. Hayek. Talvez um dos motivos seja a evidente ruptura dos ortodoxos "macroeconomistas" keynesianos, o que leva até mesmo os economistas mais conservadores a, pelo menos, considerar teorias e soluções alternativas. No entanto, talvez uma outra razão tenha sido o desejo de conceder o Prêmio a um opositor do notório esquerdista e socialista Dr. Gunnar Myrdal (1898-

Prefácio

1987); dessa forma, a concessão do Nobel a Hayek fora uma necessidade de promover uma política de "equilíbrio". Assim, concedendo prêmios a esses dois polos opostos, a Academia Real de Ciências da Suécia citou Hayek e Myrdal *"por seu trabalho pioneiro na teoria da moeda e da flutuação econômica, e pela análise, também pioneira, da interdependência dos fenômenos econômicos, sociais e institucionais"*.

De qualquer maneira, independente das motivações do comitê do Nobel, nós só podemos saudar o merecido tributo às imponentes contribuições e realizações de F. A. Hayek. A primeira monumental contribuição de Hayek à economia foi o desenvolvimento da Teoria Austríaca do Ciclo Econômico (TACE), com base no esquema pioneiro de Ludwig von Mises. Surgida no final dos anos 1920, e levando em consideração que Mises e Hayek estavam entre os poucos economistas do mundo que previram a Depressão de 1929, dois grandes trabalhos de Hayek sobre o ciclo econômico foram publicados em inglês como *Monetary Theory and the Trade Cycle* [*Teoria Monetária e Ciclo Econômico*][1] em 1933, e o mais técnico *Prices and Production* [*Preços e Produção*][2] em 1931.

---

[1] HAYEK, F. A. *Monetary Theory and the Trade Cycle*. Trad. N. Kaldor & H. M. Croome. London: Jonathan Cape, 1933.

[2] HAYEK, F. A. *Prices and Production*. London: George Routledge & Sons, 1931.

Durante o início da década de 1930, quando Hayek deixou a Áustria para lecionar na London School of Economics (LSE), a TACE, dele e de Mises, começou a ser amplamente adotada na Inglaterra e até mesmo nos Estados Unidos devido a Grande Depressão; infelizmente, essa teoria foi colocada de lado no auge da revolução keynesiana de 1936[3] sem sequer ser considerada e muito menos refutada pelo estatismo de John Maynard Keynes (1883-1946) e seus discípulos. Agora que o keynesianismo está desmoronando teórica e empiricamente, o mundo da economia deve estar seriamente preparado para considerar novamente a teoria austríaca, pela primeira vez em quarenta anos.

Resumidamente, a importância da TACE de Hayek se dá porque é colocado nos ombros do governo e do sistema bancário por ele controlado a culpa pelo ciclo de expansão e recessão e, pela primeira vez desde os economistas clássicos do século XIX, absolvendo completamente a economia de livre iniciativa. Quando o governo e seu banco central encorajam a expansão do crédito bancário, isso não apenas causa

---

[3] KEYNES, John Maynard. *The General Theory of Employment, Interest and Money*. London: Palgrave Macmillan, 1936. [Em língua portuguesa a obra pode ser encontrada na seguinte edição brasileira: KEYNES, John Maynard. *A Teoria Geral do Emprego, do Juro e da Moeda*. Apres. Adroaldo Moura da Silva; Trad. Mário R. da Cruz & Paulo de Almeida; Rev. tec. Cláudio Roberto Contador. São Paulo: Nova Cultural, 1996. (N. E.)].

inflação nos preços, mas também provocam crescentes maus investimentos, especificamente em bens de capital e subprodução de bens de consumo.

Portanto, o *boom* inflacionário induzido pelo governo não só prejudica os consumidores, aumentando os preços e o custo de vida, mas também distorce a produção e cria investimentos inviáveis. O governo é então confrontado, repetidamente, com duas escolhas básicas: ou se freia a inflação de crédito monetário e bancário, o que necessariamente levará a uma recessão, que servirá para liquidar os maus investimentos e retornar a uma estrutura genuína de livre-mercado de investimento e produção – ou se continua inflando até que uma inflação galopante destrua totalmente a moeda e provoque o caos social e econômico.

A relevância da teoria de Hayek para os nossos dias deve ser notoriamente óbvia, pois mostra como qualquer indício de recessão faz com que o governo entre em pânico e ligue as torneiras inflacionárias mais uma vez. O ponto é que, dado qualquer *boom* inflacionário, uma recessão é dolorosa, mas necessária, no sentido de devolver a economia a um estado de equilíbrio.

A prescrição política que flui da teoria hayekiana é, evidentemente, diametralmente oposta ao keynesianismo: interrompa o *boom* inflacionário artificial e permita que a recessão prossiga o mais rápido possível com o seu trabalho de reajustamento. O adiamento e as tentativas do governo de interromper ou interferir no processo de recessão só intensifica a agonia e leva nossa atual turbulência a uma inflação futura combinada com um grande processo de depressão. A análise de Mises e Hayek não é apenas a única teoria convincente sobre o ciclo econômico; é a única resposta abrangente da parte do livre mercado para o pântano keynesiano de planejamento de governo que estamos sofrendo hoje.

Mas F. A. Hayek não parou com esta contribuição monumental à economia. Na década de 1940, ele ampliou sua abordagem a toda área da economia política. Em seu *best-seller The Road to Serfdom* [*O Caminho da Servidão*][4], originalmente lançado em 1944, ele desafiou o clima intelectual pró-socialista e pró-comunista da época, mostrando como o planejamento socialista levará inevitavelmente ao totalitarismo, além de apresentar exemplos da maneira como a socialdemocracia da República de Weimar pavimentou o caminho para Adolf Hitler (1889-1945). Hayek também apresentou como o "pior sempre chega ao topo" em uma sociedade estatista. Em sua

---

[4] HAYEK, F. A. *The Road to Serfdom*. Chicago: The University of Chicago Press, 1944. [A obra será lançada em nova edição pela LVM Editora e atualmente está disponível em língua portuguesa como: HAYEK, F. A. *O Caminho da Servidão*. Trad. Anna Maria Capovilla, José Ítalo Stelle e Liane de Morais Ribeiro. São Paulo: Instituto Ludwig von Mises Brasil, 6ª ed., 2010. (N. E.)].

brilhante série de ensaios *Individualism and Economic Order* [*Individualismo e Ordem Econômica*][5] de 1948, demonstrou de modo pioneiro como o socialismo não consegue racionalmente fazer cálculos, pois carece de um sistema de preços de livre mercado, especialmente porque este está unicamente preparado para transmitir as informações de cada indivíduo para todos os outros. Na falta de um genuíno sistema de preços, o socialismo é necessariamente não dispõe de tais informações cruciais.

Além disso, na mesma obra, Hayek brilhantemente dissecou o modelo ortodoxo irreal da "competição perfeita", demonstrando que o mundo real da livre competição é muito superior a absurda demanda por "perfeição" por parte dos advogados e economistas antitruste. Como corolário, Hayek, neste trabalho, começou uma série devastadora de ataques ao modelo de "equilíbrio geral" dos economistas matemáticos, mostrando quão absurdo e irreal tal critério foi ao atacar a livre iniciativa.

Em 1952, Hayek publicou seu magnífico *The Counter-Revolution of Science* [*A Contra Revolução da Ciência*][6], que continua a ser o melhor ataque

---

[5] HAYEK, F. A. *Individualism and Economic Order*. Chicago: The University of Chicago Press, 1948.

[6] HAYEK, F. A. *The Counter-Revolution of Science: Studies in the Abuse of Reason*. Glencoe: The Free Press, 1952.

contra as pretensões daqueles que planejam controlar as nossas vidas em nome da "razão" e da "ciência". Dois anos depois, de maneira muito clara em *Capitalism and the Historians* [*Capitalismo e os Historiadores*][7], Hayek contribuiu e editou uma série de ensaios que mostravam conclusivamente que a Revolução Industrial na Inglaterra, estimulada por uma economia mais ou menos de livre mercado, muito mais melhorou do que piorou o padrão médio de vida dos consumidores e trabalhadores ingleses. Dessa forma, Hayek encabeçou a lista dos que quebraram um dos mitos mais difundidos pelos socialistas sobre a Revolução Industrial.

Finalmente, nas obras *The Constitution of Liberty* [*Os Fundamentos da Liberdade*][8], de 1960, *Studies in Philosophy, Politics, and Economics* [*Estudos em Filosofia, Política e Economia*][9] de 1967 e *Law, Legislation, and Liberty* [*Direito, Legislação*

---

[7] HAYEK, F. A. (Ed.). *Capitalism and the Historians*. Chicago: The University of Chicago Press, 1954.

[8] HAYEK, F. A. *The Constitution of Liberty*. Chicago: The University of Chicago Press, 1960. [Em língua portuguesa o livro foi publicado na seguinte edição brasileira: HAYEK, F. A. *Os Fundamentos da Liberdade*. Intr. Henry Maksoud; Trad. Anna Maria Capovilla e José Ítalo Stelle. Brasília / São Paulo: Editora Universidade de Brasília / Visão, 1983. (N. E.)].

[9] HAYEK, F. A. *Studies in Philosophy, Politics, and Economics*. London: Routledge and Kegan Paul, 1967.

Prefácio

e Liberdade][10], cujos três volumes foram lançados em 1973, 1976 e 1979, Hayek, entre outras notáveis contribuições, defendeu o ideal esquecido do Estado de Direito, em oposição ao governo dos homens, e enfatizou o único valor do livre mercado e da sociedade livre na criação de uma "ordem espontânea" que somente pode emergir da liberdade. Como apenas uma de suas conquistas, seu grande artigo, "The Non-Sequitur of the *Dependence Effect*" refutou o livro *The Affluent Society* [*A Sociedade Afluente*][11] de John Kenneth Galbraith (1908-2006), ao apontar que nada há de errado nas pessoas aprenderem e absorverem valores e desejos de consumo uns dos outros. E em seu cintilante ensaio "The Intellectuals

---

[10] Vale notar que quando Murray Rothbard escreveu o presente artigo só havia o primeiro volume desta trilogia. HAYEK, F. A. *Law, Legislation and Liberty*. Chicago: The University of Chicago Press, 1973 / 1976 / 1979. 3v. [A trilogia foi publicada em língua portuguesa na seguinte edição brasileira: HAYEK, F. A. *Direito, Legislação e Liberdade: Uma Nova Formulação dos Princípios Liberais de Justiça e Economia Política*. Apres. Henry Maksoud; Trad. Anna Maria Copovilla, José Ítalo Stelle, Manuel Paulo Ferreira e Maria Luiza X. de A. Borges. São Paulo: Visão, 1985. 3v. (N. E.)].

[11] GALBRAITH, John Kenneth. *The Affluent Society*. Boston: Houghton Mifflin Company, 1958. [Em língua portuguesa a obra pode ser encontrada na seguinte edição brasileira: GALBRAITH, John Kenneth. *A Sociedade Afluente*. Trad. Carlos Afonso Malferrari. São Paulo: Pioneira, 1987. (N. E.)].

and Socialism" [Os Intelectuais e o Socialismo][12], de 1949, F. A. Hayek estabelece a estratégia adequada que os libertários devem seguir: a importância de ter a coragem de seguir os socialistas na consistência, ao recusar-se a render-se aos ditames de curto prazo do compromisso e da conveniência; só assim seremos capazes de reverter a derrotar a onda coletivista.

Nós poderíamos continuar com muitas outras contribuições. Mas muito já foi dito aqui para apontar o grande alcance, a erudição e a riqueza das contribuições de F. A. Hayek à economia e à filosofia política. Como seu grande mentor, Ludwig von Mises, Hayek persistiu com grande coragem em se opor ao socialismo e ao estatismo do nosso tempo. Mas ele não apenas firmou uma oposição inabalável às modas atuais do keynesianismo, da inflação e do socialismo; ele – com nobreza, cortesia e grande erudição – prosseguiu com suas pesquisas para fornecer-nos os conceitos alternativos do que devem ser uma economia e uma sociedade livres.

---

[12] HAYEK, F. A. "The Intellectuals and Socialism". *University of Chicago Law Review*, Vol. 16, Nº 3 (Spring 1949): 417-33. Reimpresso em 1967 na já citada coletânea *Studies in Philosophy, Politics, and Economics*. [Uma versão na forma de um livreto foi lançada pelo Institute of Economic Affairs (IEA) e será publicada em língua portuguesa pela LVM Editora ainda no ano de 2019. (N. E.)].

Prefácio

F. A. Hayek merece não apenas o Prêmio Nobel, mas todas as honras que podemos conferir-lhe. Mas o grande tributo que podemos prestar, a Hayek e a Mises, é dedicar-nos a reverter a onda estatista e seguir em frente rumo a uma sociedade livre.

A PRETENSÃO DO CONHECIMENTO

Ensaio 1
Discurso no Banquete de Gala[*]

Vossa Majestade, Vossa Alteza Real, Senhoras e Senhores,

Agora que foi criado o Prêmio de Ciências Econômicas em Memória de Alfred Nobel, só se pode ser profundamente grato por ter sido selecionado como um dos seus co-agraciados, e os economistas, com certeza, têm todos os motivos para serem gratos ao Banco da Suécia por considerar esse tema como digno desta grande honra.

Ainda assim, devo confessar que, se tivesse sido consultado sobre a determinação de um Prêmio Nobel de Economia, teria me oposto categoricamente.

---

[*] Discurso de Friedrich August von Hayek no Banquete de Gala por ocasião da Entrega do Prêmio Nobel, em 10 de dezembro de 1974. Traduzido do original em inglês para o português por Beatriz Caldas.

Uma das razões seria o temor de que tal prêmio, como acredito ser verdadeiro para as atividades de algumas das grandes fundações científicas, tenderia a acentuar as oscilações do modismo científico.

A Comissão de Seleção refutou esta apreensão de forma brilhante ao outorgar o prêmio a uma pessoa como eu, cujas opiniões são tão fora de moda.

Não posso demonstrar a mesma tranquilidade quanto à minha segunda causa de apreensão.

É que o Prêmio Nobel confere a um indivíduo uma autoridade que, em Economia, nenhum homem poderia concentrar.

Tal fato não é relevante em Ciências Naturais. Nesse campo, a influência exercida por um indivíduo é, sobretudo uma influência sobre seus pares especialistas; e esses logo o redimensionam se ele for além de sua competência.

Mas a influência do economista que importa mais que tudo é o alcance sobre os leigos: políticos, jornalistas, funcionários públicos, e público em geral.

Não há razão alguma pela qual um homem que tenha feito uma contribuição marcante para a ciência econômica deva ser onicompetente em relação a todos os problemas da sociedade – como a imprensa tende a tratá-lo, até que no final, ele próprio possa vir a ser convencido a assim crer.

Convence-se um indivíduo até mesmo a sentir como dever público pronunciar-se sobre problemas aos quais pode não ter dedicado atenção especial.

Discurso no Banquete de Gala

Não tenho certeza de que é desejável fortalecer a influência de alguns economistas por intermédio dessa cerimônia tradicional, alvo de olhares, reconhecimento de realizações, já, talvez, de passado distante.

Por isso, estou quase inclinado a sugerir que vós exijais dos laureados um juramento de humildade, uma espécie de juramento de Hipócrates, segundo o qual o premiado, em pronunciamentos públicos, nunca vá além dos limites de sua competência.

Ou, pelo menos, ao conferir o prêmio, vós deveríeis lembrar ao agraciado o sábio conselho de um dos grandes homens de nossa área, Alfred Marshall (1842-1924), que escreveu: *"Os estudantes de ciências sociais devem temer a aprovação popular: o Mal os acompanha quando todos os homens os elogiam"*.

Ensaio 2
A Pretensão do Conhecimento[*]

A ocasião especial desta conferência, juntamente com o principal problema prático que os economistas enfrentam hoje em dia, tornaram a escolha desse tópico quase inevitável. Por um lado, a ainda recente instituição do Prêmio Nobel em Ciências Econômicas é um passo significativo no processo pelo qual, na opinião do público geral, foi concedida à Ciência Econômica um pouco da dignidade e do prestígio das ciências físicas. Por outro lado, os economistas estão hoje sendo chamados para, digamos, salvar o mundo livre da séria ameaça da aceleração inflacionária, que foi causada, devemos admitir, pelas mesmas políticas

---

[*] Discurso à Memória de Alfred Nobel de Friedrich August von Hayek por ocasião da Entrega do Prêmio Nobel, em 11 de dezembro de 1974.
Traduzido do original em inglês para o português por Leandro Augusto Gomes Roque.

que a maioria dos economistas recomendou, e até mesmo insistiu, para que os governos adotassem. Por certo, há pouco do que nos orgulhar: como profissão, confundimos todas as coisas.

Parece-me que tal incapacidade dos economistas em orientar políticas de modo mais bem-sucedido guarda íntima conexão com a propensão em imitar, da maneira mais rigorosa possível, os procedimentos das mais ilustres e exitosas ciências físicas – tentativa essa que, em nosso campo profissional, pode levar a erros crassos. Essa é uma abordagem que passou a ser descrita como a postura "cientística" – uma atitude que, como defini há cerca de trinta anos, *"é decididamente não científica no verdadeiro sentido do termo, pois envolve uma aplicação mecânica e indiscriminada de hábitos de raciocínio a campos diferentes daqueles em que tais hábitos foram criados"*[1]. Desejo principiar hoje por esclarecer como alguns dos equívocos mais graves da atual política econômica decorrem diretamente desse erro do cientismo.

A teoria que tem orientado as políticas monetárias e financeiras dos últimos trinta anos – uma teoria que afirmo ser o produto de uma concepção distorcida sobre o procedimento científico adequado – consiste

---

[1] HAYEK, F. A. "Scientism and the Study of Society". *Economica*, Vol. IX, N° 35 (August 1942): 267-91. Reproduzido em: HAYEK, F. A. *The Counter-Revolution of Science*. Glencoe: The Free Press, 1952. p. 15.

na crença de que existe uma simples correlação positiva entre o nível de emprego e o tamanho da demanda agregada por bens e serviços. Tal crença nos leva a imaginar que podemos garantir de modo permanente o pleno emprego via a manutenção dos gastos monetários totais em um nível adequado. Dentre as várias teorias utilizadas para explicar o alto desemprego, esta é provavelmente a única que pode receber o apoio de robustas comprovações quantitativas. Contudo, considero tal teoria fundamentalmente falsa, e agir tomando-a por base é, como hoje experimentamos, bastante nocivo.

Isso nos leva à questão crucial. Diferente das ciências físicas, na ciência econômica – e em outras disciplinas que lidam com fenômenos complexos por natureza – os aspectos dos eventos a serem explicados que sobre os quais podemos coletar dados quantitativos são necessariamente limitados e podem não incluir os mais importantes. Nas ciências físicas, em geral, se supõe, provavelmente com boas razões, que qualquer fator importante na determinação dos eventos observados será, ele mesmo, observável e mensurável de maneira direta. Já no estudo de fenômenos complexos por natureza – tais como o mercado, que depende das ações de vários indivíduos –, é difícil que todas as circunstâncias que determinarão o resultado de um processo sejam conhecidas ou mesmo mensuráveis por completo. Explicarei mais adiante os motivos que me levam a essa afirmação. E, já que nas ciências físicas o pesquisador será capaz de mensurar, com base em uma teoria *prima facie*, aquilo que crê importante, nas ciências sociais, muitas vezes, é tido como importante o que porventura seja passível de mensuração. Isso, em certas ocasiões, chega ao ponto de exigir que nossas teorias devam ser formuladas de modo a aludir somente a grandezas mensuráveis.

Dificilmente se pode negar que tal exigência limite de modo bastante arbitrário os fatos que devem ser admitidos como as possíveis causas dos eventos que ocorrem no mundo real. Essa visão, que diversas vezes, com muita ingenuidade, é aceita como procedimento científico sólido, tem algumas consequências bem paradoxais. Sabemos, é claro, a respeito do mercado e de outras estruturas sociais similares, que existem muitos fatores que não podem ser mensurados e sobre os quais temos, na verdade, apenas algumas informações muito genéricas e imprecisas. E porque os efeitos de tais fatos não podem, em dado momento, ser confirmados por provas quantitativas, são simplesmente descartados por aquelas pessoas que se comprometeram a aceitar apenas o que julgam ser a comprovação científica: assim continuam, alegremente, crendo na ilusão de que os fatores que podem mensurar são os únicos relevantes.

A correlação entre demanda agregada e nível de emprego, por exemplo, pode apenas ser aproximada; porém, como é a *única* sobre a qual há dados quantitativos, passa a ser aceita como o único vínculo causal que importa. Por essa regra pode muito bem existir uma prova "científica" melhor para uma teoria falsa, que será aceita porque é mais "científica" do que a explicação válida, que será rejeitada apenas porque não há suficiente número de provas quantitativas para embasá-la.

Deixai-me ilustrar isso com um breve esboço sobre o que considero ser a principal causa do amplo desemprego – um relato que também explicará por que esse desemprego não pode ser sanado de modo duradouro pelas políticas inflacionárias recomendadas pela teoria em voga. A explicação correta, a meu ver, parece estar na existência de considerável discrepância entre a distribuição da demanda dos diferentes bens e serviços, e a maneira como a mão de obra e outros recursos são alocados para a produção desses bens e serviços. Temos um conhecimento "qualitativo" razoável das forças que fazem a correspondência entre a oferta e a demanda nos diferentes setores do sistema econômico, das condições sob as quais essa correspondência será alcançada e dos prováveis fatores que podem impedir tal ajuste. Os procedimentos isolados nesse processo têm por base os fatos da experiência diária, e, os poucos que se derem ao trabalho de acompanhar a argumentação, questionarão a validade das suposições factuais ou a exatidão lógica das conclusões que deles derivam. Posto isso, temos, sim, boas razões para acreditar que o desemprego indica que a estrutura dos salários e dos preços relativos foi distorcida (geralmente em decorrência do estabelecimento de preços governamentais ou monopolísticos), e que, para ser restaurada a igualdade entre a demanda e a oferta de mão de obra em todos os setores haverá a necessidade de alterações nos preços relativos e de realocações de mão de obra.

No entanto, quando nos perguntam por alguma prova quantitativa sobre a estrutura particular de preços e salários necessária para assegurar uma oferta fluente dos produtos e serviços oferecidos, devemos admitir que não detemos tal informação. Noutras palavras, sabemos que as condições gerais que chamamos, um tanto erroneamente, de equilíbrio estabelecer-se-ão por si mesmas: mas nunca saberemos qual preço ou salário em particular existiria caso o mercado fosse levado a tal equilíbrio. Podemos dizer, simplesmente, quais são as condições em que poderemos esperar que o mercado estabeleça preços e salários nos quais a demanda se equipare à oferta. Nunca poderemos, contudo, produzir informação estatística que demonstraria quanto os preços e salários correntes *se afastam* daqueles que assegurariam o saldo contínuo da atual oferta de trabalho. Muito embora esse relato das causas do desemprego seja uma teoria empírica – no sentido de poder se mostrar falsa, por exemplo, caso, em uma constante oferta de dinheiro, certo aumento geral de salários não levar ao desemprego – sem dúvida, não é o tipo de teoria que possamos utilizar para obter previsões numéricas específicas com relação a taxas de salários, ou a distribuição do trabalho, que se deva esperar.

Entretanto, por que deveríamos, nas ciências econômicas, declarar nossa ignorância quanto a determinados fatos que, no caso de uma teoria física, certamente exigiriam informações precisas de um cientista? Não é de surpreender que aqueles que se impressionam com as ciências físicas achem essa posição muito insatisfatória e insistam nos critérios de comprovação desse campo do saber. O motivo para esse estado de coisas, como já mencionei de modo sumário, reside no fato de as ciências sociais –semelhante à grande parte das ciências biológicas, porém diferente de grande parte das ciências físicas – têm de lidar com estruturas de complexidade *essencial*, ou seja, com estruturas cujas propriedades características podem ser exibidas somente por intermédio de modelos compostos por um número relativamente grande de variáveis. A concorrência, por exemplo, é um processo que só produzirá certos resultados caso ocorra entre um número razoavelmente grande de agentes.

Em alguns campos, em particular quando problemas similares surgem nas ciências físicas, as dificuldades podem ser superadas pelo uso de dados sobre a frequência relativa – ou probabilidade – da ocorrência de várias propriedades singulares dos elementos, ao invés de utilizar informações específicas sobre os elementos individuais. No entanto, isso é válido somente quando lidamos com o denominado pelo Dr. Warren Weaver (1894-1978), ex-diretor da Fundação Rockefeller, em distinção que merece ser entendida de modo mais amplo, de *"fenômenos de complexidade desorganizada"*, em contraposição aos *"fenômenos de complexidade organizada"* com os quais lidamos nas ciências sociais[2]. A complexidade organizada, nesse caso, significa que a natureza das estruturas que a apresentam depende não somente das propriedades dos elementos individuais que compõem tais estruturas, ou da frequência relativa com que ocorrem, mas também da maneira pela qual os elementos individuais se conectam entre si. Na explicação sobre o funcionamento de tais estruturas, não podemos, por essa razão, substituir as informações sobre os elementos individuais por informações estatísticas; se, no entanto, de nossa teoria, queremos extrair prognósticos específicos acerca de eventos individuais, temos de exigir informações completas so-

---

[2] WEAVER, Warren. "A Quarter Century in the Natural Sciences". In: *The Rockefeller Foundation Annual Report 1958*. Cap. I (Science and Complexity), pp. 7-15.

bre cada elemento. Sem essas informações específicas sobre os elementos individuais, estaremos confinados ao que noutra ocasião chamei de meras "previsões de padrão" – previsões sobre alguns dos atributos gerais das estruturas que se formarão, mas serão destituídas de quaisquer declarações específicas sobre os elementos individuais que as constituirão[3].

Isso é particularmente verdadeiro para as teorias que explicam como se dá a formação de salários e preços relativos em um mercado que funcione bem. Na determinação desses salários e preços, serão levados em consideração os efeitos das informações particulares que cada um dos participantes do processo de mercado detém – uma soma de fatores que, na totalidade, não podem ser apreendidos pelo observador científico ou por qualquer outro cérebro isolado. É, de fato, a superioridade da ordem de mercado – e a razão pela qual, via de regra, quando não suprimida pelos poderes governamentais, esta sobrepuja os outros tipos de ordem – que na alocação de recursos resultante utilizará mais do conhecimento dos fatos

---

[3] Ver: HAYEK, F. A. "The Theory of Complex Phenomena". *In*: BUNGE, Mario (Ed.). *The Critical Approach to Science and Philosophy: Essays in Honor of K. R. Popper*. New York: The Free Press, 1964. Texto reproduzido com adições como: HAYEK, F. A. "The Theory of Complex Phenomena". *In*: *Studies in Philosophy, Politics and Economics*. London: Routledge & Kegan Paul, 1967. pp. 22-42.

particulares dispersos entre um número incontável de pessoas, mais que o conhecimento de quaisquer fatos que uma só pessoa detenha. Entretanto, por que nós, cientistas observadores, jamais conheceremos todos os determinantes de tal ordem – e, como consequência, também tornamo-nos incapazes de saber sob qual estrutura específica de preços e salários a demanda em todos os lugares igualar-se-á à oferta –, ficamos incapacitados de medir o desvio em relação a essa ordem, nem podemos testar estatisticamente a nossa teoria de que são os desvios de tal sistema "equilibrado" de preços e salários que tornam impossível vender alguns dos produtos e serviços aos preços que são ofertados.

Antes de prosseguir com a questão de meu interesse imediato, os efeitos de todas essas coisas nas políticas de emprego atualmente adotadas, permitam-me definir mais circunstanciadamente as limitações intrínsecas do nosso conhecimento numérico, tantas vezes negligenciadas. Desejo fazê-lo para evitar a impressão de que rejeito de modo generalizado o método matemático na economia. Com efeito, considero a grande vantagem da técnica matemática o fato de que nos permite descrever, por meio de equações algébricas, a natureza geral de um padrão, mesmo quando desconhecemos os valores numéricos que determinarão determinada manifestação. Sem essa técnica algébrica, dificilmente teríamos alcançado a descrição abrangente das interdependências mútuas dos diferentes acontecimentos em um mercado. Entretanto, criou-se a ilusão de que podemos utilizar essa técnica para a determinação e previsão dos valores numéricos dessas grandezas; e isso levou a busca inútil por constantes quantitativas ou numéricas. Isso ocorreu, muito embora os fundadores modernos da economia matemática não nutrissem tais ilusões. É verdade que seus sistemas de equações, que descrevem o padrão de um equilíbrio de mercado, aparentemente são tão estruturados que se fôssemos capazes de preencher as lacunas de todas as variáveis dessas fórmulas abstratas – isto é, se soubéssemos todos os parâmetros das equações – seríamos capazes de calcular os preços e quantidades de todas as mercadorias e serviços à venda.

Entretanto, assim como afirmou Vilfredo Pareto (1848-1923), um dos fundadores de tal teoria, está claro que o propósito desse sistema de equações não pode ser *"chegar a um cálculo numérico dos preços"*, porque, como disse esse autor, seria *"absurdo"* pressupor que podemos determinar todos os dados[4]. De fato, o argumento principal já havia sido compreendido pelos notáveis precursores da economia moderna, os escolásticos espanhóis do sé-

---

[4] PARETO, Vilfredo. *Manuel d'économie politique*. Paris: Marcel Giard, 2ª ed., 1927. pp. 223-24.

culo XVI, que salientaram que o chamado *pretium mathematicum* – o preço matemático – dependia de tantas circunstâncias particulares nunca seria possível ao homem conhece-las todas, só Deus teria tal capacidade[5].

Às vezes desejo que nossos economistas matemáticos levem tal consideração a sério. Devo confessar que ainda tenho dúvidas se as buscas por grandezas mensuráveis contribuíram de modo significativo à compreensão *teórica* dos fenômenos econômicos – como algo distinto do valor como descrição de situações particulares. Também não estou preparado para aceitar a desculpa de que esse ramo de pesquisa ainda é muito recente: afinal, *Sir* William Petty (1623-1687), o fundador de econometria, foi uma espécie de colega sênior de *Sir* Isaac Newton (1643-1727) na Royal Society!

Deve haver poucos casos em que a superstição de que somente as grandezas mensuráveis são importantes tenha causado danos reais no campo econômico, mas os problemas da inflação e o desemprego atuais são bem sérios. A consequência foi aquilo que é, provavelmente, a verdadeira causa do amplo desemprego, negligenciada pela maioria dos economistas de

---

[5] Ver, por exemplo: MOLINA, Luis. *De Iustitia et Iure*. Cologne, 1596-1600. Tomo II, disp. 347, n° 3. Ver, especialmente: LUGO, Johannes de. *Disputationum de iustitia et iure tomus secundus*. Lyon: 1642. Disp. 26, sect. 4, n° 40.

mentalidade cientificista, visto que sua atividade não pode ser confirmada por relações diretamente observáveis entre grandezas mensuráveis, e uma atenção quase exclusiva nos fenômenos superficiais quantitativamente mensuráveis gerou uma política tornou a situação ainda pior.

Devemos, é claro, prontamente admitir que o tipo de teoria que considero como a verdadeira explicação para o desemprego é uma teoria cujo conteúdo é um tanto limitado, pois permite-nos fazer apenas prognósticos muito generalizados sobre os *tipos* de acontecimentos que devemos esperar em dada situação. No entanto, as consequências de teorias mais ambiciosas na política não têm sido muito venturosas. Confesso que prefiro um conhecimento imperfeito, porém verdadeiro – mesmo que deixe muitas coisas indeterminadas e imprevisíveis –, a um pretenso conhecimento exato, mas provavelmente falso. O crédito que a aparente conformidade aos padrões científicos reconhecidos pode dar para teorias aparentemente simples, mas falsas, como demonstra o presente caso, tem sérias consequências.

De fato, no assunto em questão, as próprias medidas que a teoria "macroeconômica" dominante recomenda como cura para o desemprego – a saber, o aumento da demanda agregada – tornou-se a causa de colossal má alocação de recursos, o que certamente tornará inevitável, posteriormente, um desemprego em larga escala. A contínua injeção de quantias adicionais de dinheiro em alguns pontos do sistema econômico, gera uma demanda temporária que, inevitavelmente, acabará assim que o aumento da quantidade de moeda parar ou desacelerar, juntamente com a expectativa de um contínuo aumento nos preços, sacam a mão de obra e outros recursos para empregos que durarão somente enquanto a expansão da quantidade de moeda continuar na mesma taxa – ou até mesmo somente enquanto a expansão monetária continuar a acelerar numa determinada taxa.

O que essa política produziu, não é tanto um nível de emprego que não pudesse ter sido criado de outras maneiras; mas uma distribuição do emprego que não pode ser indefinidamente mantida e que, após algum tempo, só pode ser preservada por uma taxa de inflação que inevitavelmente levará à desorganização de toda a atividade econômica. O fato é que, por um ponto de vista teórico equivocado, fomos levados a uma posição precária em que não mais podemos evitar o reaparecimento de um substancial desemprego; não porque, como, equivocadamente, interpretam tal ponto de vista, esse desemprego será deliberadamente gerado como instrumento de combate à inflação, mas, sim, porque tem de acontecer como uma lastimável, porém inevitável, consequência das políticas equivocadas do passado, tão logo a inflação monetária desacelere.

Devo, no entanto, deixar esses problemas de importância prática imediata que introduzi principalmente como ilustração das consequências graves que podem derivar dos erros relativos aos problemas abstratos da Filosofia da Ciência. Há razão suficiente para estar apreensivo sobre os perigos no longo prazo, gerados em um campo mais abrangente, pela aceitação acrítica de afirmativas que têm a *aparência* de científicas, com o são, com relação aos problemas que acabamos de discutir. O que queria trazer pela ilustração tópica é o que, certamente, ocorre na minha área, mas creio que, em geral, nas ciências humanas, o que parece na superfície como o procedimento mais científico, muitas vezes, é o menos científico, e, além disso, nessas áreas há limites definidos do que esperar das conquistas da ciência. Isso significa que confiar à ciência – ou ao controle deliberado segundo princípios científicos – mais do que o método científico consegue realizar, pode ter efeitos deploráveis. O desenvolvimento das ciências naturais na modernidade tem, é claro, excedido todas as expectativas, e qualquer alusão à existência de limites suscita suspeitas, em especial por parte de todos aqueles que alimentavam a esperança de que nosso crescente poder de previsão e controle, geralmente visto como a característica resultante do avanço científico, aplicado aos processos sociais, tornaria possível moldar a sociedade ao bel-prazer. Por certo, é verdade que, ao contrário do entusiasmo que as descobertas das ciências físicas tendem a provocar, as percepções que adquirimos do estudo da sociedade, na maioria das vezes, produz um efeito deletério em nossas aspirações; e não surpreende que os nossos mais jovens e impetuosos colegas de profissão nem sempre estejam preparados para aceitar tal verdade. Não obstante a confiança no poder ilimitado da ciência é com muita frequência baseada na falsa crença de que o método científico consiste na aplicação de uma técnica "pré-fabricada", ou na simples imitação da forma, e não da substância, do procedimento científico, como se precisássemos seguir as receitas de um livro de culinária para resolver todos os problemas sociais. Às vezes, é como se as *técnicas* científicas fossem mais fáceis de aprender do o raciocínio que nos mostra quais são os problemas e como abordá-los.

O conflito entre o que, no atual estado de espírito, o público espera da ciência para satisfazer os anseios populares e o que ela realmente pode oferecer é uma questão muito séria, porque ainda que todos os verdadeiros cientistas reconheçam as limitações do que são capazes de fazer no campo das ciências humanas, contanto que o público espere mais, sempre haverá alguns que aparentarão, e talvez honestamente creiam, que podem fazer mais do que lhes é possível para responder às demandas populares. Muitas vezes é bastante difícil para o perito, e, por certo, em muitas circunstâncias para o leigo, distinguir entre as pretensões legítimas e ilegítimas promovidas em nome da ciência. A enorme publicidade dada recentemente pelos meios de comunicação a um relatório anunciando, em nome da ciência, *The Limits to Growth* [*Os Limites do Crescimento*], e o silêncio desses mesmos meios de comunicação sobre a crítica devastadora que o relatório recebeu de especialistas competentes, deve fazer com que fiquemos deveras apreensivos sobre o uso dado ao prestígio da ciência[6].

Mas não é de modo algum apenas na economia que ousadas afirmações são propostas em prol de um direcionamento mais científico de todas as atividades humanas e o desejo de substituir processos espontâneos por um "controle humano consciente". Caso não esteja enganado, a Psicologia, a Psiquiatria e alguns ramos da Sociologia, para não falar da assim chamada Filosofia da História, são ainda mais afetados por aquilo que chamei de "preconceito cientifi-

---

[6] Ver: MEADOWS, Donella H.; MEADOWS, Dennis L.; RANDERS, Jorgen & BEHRENS III, William W. *The Limits to Growth: A Report of the Club of Rome's Project on the Predicament of Mankind*. New York: Universe Books, 1972. Para uma análise sistemática feita por um economista competente, ver: BECKERMAN, Wilfred. *In Defence of Economic Growth*. London: Jonathan Cape Ltd., 1974. Para uma lista de críticas anteriores feitas por especialistas, que corretamente chama de "devastador" o efeito das críticas, ver: HABERLER, Gottfried. *Economic Growth and Stability*. Los Angeles: Nash Publishing, 1974.

cista", e por alegações ilusórias sobre o que a ciência pode realizar[7].

Se quisermos preservar a reputação de ciência, e evitar esta apropriação de conhecimento com base em uma semelhança superficial de procedimento com o das ciências físicas, deverá haver um grande empenho direcionado a desmascarar essas apropriações, algumas das quais já se tornaram direitos adquiridos de reputados departamentos universitários. Não somos suficientemente gratos a alguns filósofos da ciência modernos, como *Sir* Karl Popper (1902-1994), por nos conferir um "teste" para a distinção entre o que pode e o que não pode ser aceito como científico – teste pelo qual algumas doutrinas hoje amplamente aceitas como científicas não passariam. Há alguns problemas especiais, entretanto, em relação àqueles fenômenos essencialmente complexos dos quais as estruturas sociais são um exemplo bem importante, que me fazem desejar voltar a expor, como conclusão, em termos mais gerais, os motivos pelos quais por que, nessas áreas, não só não existem obstáculos absolutos para o prognóstico de acontecimentos es-

---

[7] Em relação a exemplos destas tendências em outras áreas do conhecimento, ver meu discurso de posse no cargo de Professor--visitante na Universidade de Salzburg, agora reeditado para o Instituto Walter Eucken em Freiburg in Breisgau: HAYEK, F. A. *Die Irrtümer des Konstruktivismus und die Grundlagen legitlmer Kritik gesellschaftlicher Gebilde.* Tübingen: J. C. B. Mohr, 1975.

pecíficos, mas por que agir como se tivéssemos conhecimento científico nos permitiria transcendê-los poderia, em si, tornar-se um sério obstáculo ao progresso da inteligência humana.

O ponto mais importante que devemos lembrar é que o amplo e rápido desenvolvimento das ciências físicas teve lugar em certas áreas em que foi demonstrado que as explicações e as previsões em leis representaram fenômenos observados como funções de, comparativamente, poucas variáveis – fossem fatos singulares ou acontecimentos de frequência relativa. Essa pode até ser a razão primordial de distinguirmos tais ramos do conhecimento como "físicos", em comparação com estruturas muito mais organizadas, denominadas aqui de "essencialmente complexas". Não há razão para que a posição seja a mesma nas duas situações. As dificuldades que encontramos quando lidamos com fenômenos essencialmente complexos não são, como, de imediato, poderíamos pensar, dificuldades de formulação de teorias para a explicação dos eventos observados, muito embora também acarretem dificuldades especiais no teste das explicações propostas e, portanto, na eliminação de más teorias. Devem-se ao principal problema que surge ao aplicarmos nossas teorias a qualquer situação específica no mundo real. Uma teoria de fenômenos essencialmente complexos deve referir-se a um grande número de fatos particulares, deve deduzir uma predição ou testar e verificar todos esses fatos particulares. Uma vez que sejamos bem-sucedidos nisso não deveremos ter nenhuma dificuldade de derivar previsões comprováveis – com a ajuda de computadores modernos deve ser bastante fácil inserir essas informações nas lacunas das fórmulas teóricas e deduzir uma predição. A verdadeira dificuldade, cuja solução que a ciência pouco tem a contribuir e que, às vezes, é realmente insolúvel, consiste na apuração de fatos particulares.

Um exemplo muito simples mostrará a natureza da dificuldade. Consideremos um jogo de bola disputado por algumas pessoas com habilidades muito semelhantes. Se, além do nosso conhecimento geral das habilidades individuais dos jogadores, conhecemos uns poucos dados particulares, tais como o grau de atenção de cada um, capacidade de percepção, bem como condições cardíacas, pulmonar, muscular etc., a cada momento da disputa, provavelmente, teríamos uma boa ideia do que dependerá o resultado. Podemos, contudo, não ser capazes de verificar esses fatores e, como consequência, o resultado do jogo estará fora do alcance do cientificamente previsível, muito embora saibamos quais efeitos determinados acontecimentos poderiam ter no resultado do jogo. Isso não significa que não possamos absolutamente fazer predições sobre o curso de tal partida. Se conhecemos as regras de diferentes jogos devemos, ao assistir uma partida, saber em pouco tempo qual jogo está sendo jogado e que tipo de ação podemos ou não esperar. Nossa capacidade, contudo, de predizer ficará confinada a tais características gerais dos acontecimentos esperados e não incluem a capacidade de predizer eventos individuais em particular.

Isso corresponde ao que antes chamei simples previsões de padrões, aos quais estamos cada vez mais restritos conforme passamos da esfera em que leis relativamente simples preponderam para fenômenos em que vige a complexidade organizada. Ao avançarmos, descobrimos com maior frequência que, de fato, podemos verificar somente algumas, mas nem todas as circunstâncias particulares que determinam o resultado de um dado processo e, como consequência, somos capazes de predizer somente algumas, mas não todas as propriedades do resultado que temos de esperar. Muitas vezes tudo o que seremos capazes de predizer serão algumas características abstratas do modelo que emergirá – relações entre tipos de elementos sobre os quais, individualmente, pouco sabemos. No entanto, repito aflitivamente, ainda chegaremos a predições que podem ser falsificadas e que, portanto, são de importância empírica.

É claro, comparadas com as previsões precisas que aprendemos a esperar nas ciências físicas, esse tipo de meras previsões padrão é uma segunda melhor opção com que a pessoa não tem de se contentar. Contudo, o perigo sobre o qual quero advertir é precisamente a crença de que para ter uma hipótese aceita como científica é necessário ter ainda mais êxito. Assim, encontramos o charlatanismo e pior. Agir na crença de que possuímos o conhecimento e a capacidade que nos permitem moldar ao nosso gosto, completamente, os processos da sociedade, conhecimento que, de fato, não possuímos, é algo capaz de nos causar dano. Nas ciências físicas pode haver pouca objeção a tentar fazer o impossível; podem até achar que não devemos desencorajar a pessoa superconfiante porque, afinal, seus experimentos podem trazer novas perspectivas. No campo social, no entanto, a crença errônea de que o exercício de algum poder teria consequências benéficas, provavelmente, leva a conferir um novo poder para coagir outros homens para alguma autoridade. Mesmo se tal poder não for, em si mesmo, mau, é provável que o seu exercício impeça o funcionamento de ordens espontâneas por meio das quais, sem compreendê-las, o homem é imensamente assistido na busca dos objetivos. Estamos apenas começando a compreender quão sutil é o sistema de comunicação em que o funcionamento de uma sociedade industrial está baseado – um sistema de comunicação que chamamos de mercado e que vem a ser um mecanismo mais eficiente para digerir a informação dispersa do que qualquer homem tenha deliberadamente concebido.

Caso o homem não deseje causar mais dano do que bem nas tentativas de melhorar a ordem social, terá de aprender que nesse, assim como noutros campos em que a complexidade essencial de um determinado tipo prepondera, ele não pode adquirir o pleno conhecimento que o daria o controle dos eventos possíveis. Deverá, portanto, usar o conhecimento que conseguir adquirir, não para moldar os resultados como um artífice faz com sua obra, mas, ao contrário, para cultivar um crescimento ao oferecer um ambiente favorável, aos moldes do jardineiro com as plantas. Há perigo no sentimento exuberante de um poder sempre crescente que o avanço das ciências físicas engendrou e que tenta o homem a experimentar "*a vertigem do êxito*"[8], para usar uma expressão típica do início do comunismo, a sujeitar não só nosso ambiente natural, mas também o humano ao controle da vontade humana. O reconhecimento dos limites insuperáveis do conhecimento deve, de fato, ensinar ao estudioso da sociedade uma lição de humildade que deve impedi-lo de tornar-se cúmplice na luta fatal dos homens pelo controle da sociedade – uma luta que o torna não só um tirano de seus semelhantes, mas que pode muito bem torná-lo o destruidor de uma civilização não criada por nenhuma mente, mas surgida dos esforços livres de milhões de indivíduos.

---

[8] Nome de um artigo escrito por Josef Stalin (1879-1953), em março de 1930, publicado no jornal *Pravda*, criticando os excessos dos bolcheviques durante a coletivização dos campos. (N. E.)

Índice remissivo e onomástico

A

Academia Real de Ciências da Suécia, 11
Affluent Society, The [*A Sociedade Afluente*], de John Kenneth Galbraith, 17
Áustria, 9, 11, 12

B

Banco da Suécia, 23
Banquete de Gala da entrega do Prêmio Nobel, 7, 23, 25

C

Caminho da Servidão, O, ver *Road to Serfdom, The*
Capitalism and the Historians [*Capitalismo e os Historiadores*], de F. A. Hayek, 16
Constitution of Liberty, The [*Os Fundamentos da Liberdade*], de F. A. Hayek, 16
Counter-Revolution of Science [*A Contra Revolução da Ciência*], de F. A. Hayek, 15

D

Direito, Legislação e Liberdade, ver *Law, Legislation, and Liberty*
Discurso à Memória de Alfred Nobel de Friedrich August von Hayek, 28

E

Escolásticos espanhóis do século XVI, 37
Estado de Direito, 17
Estados Unidos, 9, 12

F

Freiburg in Breisgau, 44
Fundação Rockefeller, 34
Fundamentos da Liberdade, Os, ver *Constitution of Liberty, The*

G

Galbraith, John Kenneth (1908-2006), 17
Grande Depressão de 1929, 11, 12

H

Hayek, F. A. [Friedrich August von] (1899-1992), 7, 9, 10-19
Hitler, Adolf (1889-1945), 14

I

Inglaterra, 12, 16
Individualism and Economic Order [*Individualismo e Ordem Econômica*], de F. A. Hayek, 15
Instituto Ludwig von Mises Brasil (IMB), 7-8
Instituto Walter Eucken, 44
Intellectuals and Socialism, The [Os Intelectuais e o Socialismo], ensaio de F. A. Hayek, 18

J

Juramento de Hipócrates, 25

K

Keynes, John Maynard (1883-1946), 12

L

Law, Legislation, and Liberty [*Direito, Legislação e Liberdade*], de F. A. Hayek, 17
Limits to Growth, The [*Os Limites do Crescimento*], de Donella H. Meadows, Dennis L. Meadows, Jorgen Randers e William W. Behrens III, 43
London School of Economics (LSE), 12

M

Marshall, Alfred (1842-1924), 25
Mises, Ludwig von (1881-1973), 9, 11, 12, 14, 18, 19
Monetary Theory and the Trade Cycle [*Teoria Monetária e Ciclo Econômico*], de F. A. Hayek, 11
Myrdal, Gunnar (1898-1987), 10-11

N

Newton, *Sir* Isaac (1643-1727), 38
"Non-Sequitur of the *Dependence Effect*, The", artigo de F. A. Hayek, 17

P

Pareto, Vilfredo (1848-1923), 37
Petty, *Sir* William (1623-1687), 38
Popper, *Sir* Karl (1902-1994), 35, 44
Pravda, 49
Prêmio Nobel de Economia, 7, 23
Pretium mathematicum (preço matemático), 38
Prêmio de Ciências Econômicas em Memória de Alfred Nobel, 23
Prices and Production [*Preços e Produção*], de F. A. Hayek, 11

R

República de Weimar, 14
Revolução Industrial na Inglaterra, 16

Road to Serfdom, The [*O Caminho da Servidão*], de F. A. Hayek, 14
Rothbard, Murray N. (1926-1995), 7, 9, 17,
Royal Society, 38

S

Sociedade Afluente, A, ver *Affluent Society, The*
Stalin, Josef (1879-1953), 17
Studies in Philosophy, Politics, and Economics [*Estudos em Filosofia, Política e Economia*], de F. A. Hayek, 16

T

Teoria Austríaca do Ciclo Econômico (TACE), 11-12

U

Universidade de Salzburg, 44

W

Weaver, Warren (1894-1978), 34

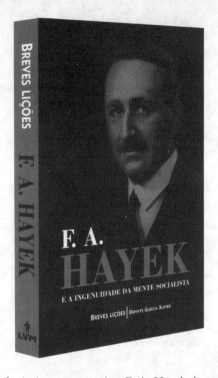

O filósofo, jurista e economista F. A. Hayek, laureado em 1974 com o Prêmio Nobel de Economia, é o objeto do primeiro volume da *Coleção Breves Lições*, cujo propósito é apresentar com linguagem acessível e cientificamente correta, a um público leitor mais amplo e variado, as linhas gerais do pensamento dos mais importantes autores liberais ou conservadores em um enfoque interdisciplinar. Ao reunir uma seleção de textos de diferentes especialistas brasileiros, F. A. Hayek e a Ingenuidade da Mente Socialista é a melhor introdução ao pensamento hayekiano disponível em língua portuguesa. Organizado pelo filósofo Dennys Garcia Xavier, o livro reúne ensaios do próprio organizador, bem como do historiador Alex Catharino, do jornalista Lucas Berlanza, e dos economistas Fabio Barbieri e Ubiratan Jorge Iorio, dentre outros.

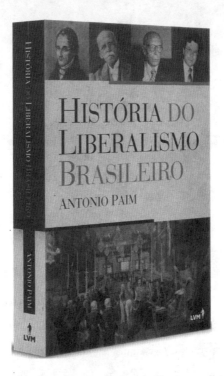

A trajetória pessoal e o vasto conhecimento teórico que acumulou sobre as diferentes vertentes do liberalismo e de outras correntes políticas, bem como os estudos que realizou sobre o pensamento brasileiro e sobre a história pátria, colocam Antonio Paim na posição de ser o estudioso mais qualificado para escrever a presente obra. O livro *História do Liberalismo Brasileiro* é um relato completo do desenvolvimento desta corrente política e econômica em nosso país, desde o século XVIII até o presente. Nesta edição foram publicados, também, um prefácio de Alex Catharino, sobre a biografia intelectual de Antonio Paim, e um posfácio de Marcel van Hattem, no qual se discute a influência do pensamento liberal nos mais recentes acontecimentos políticos do Brasil.

Acompanhe a LVM Editora nas redes sociais

 https://www.facebook.com/LVMeditora/

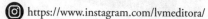 https://www.instagram.com/lvmeditora/

Esta obra foi composta pela BR75
na família tipográfica Sabon e impressa em Pólen 80 g.
pela PlenaPrint Gráfica para a LVM em maio de 2019